KU-557-931

NA POMOC!

Tłumaczenie: Katarzyna Precigs

Tytuł oryginału: *The Dog Who Cried 'Woof'*
Adapted by Bob Barkly
Illustrated by John Kurtz
From the television script *The Dog Who Cried 'Woof'* by Anne-Marie Perrotta and Tean Schultz

Korekta: Bożena Hulewicz
Wydawnictwo Egmont Polska Sp. z o.o.
ul. Dzielna 60, 01-029 Warszawa
tel. 0 22 838 41 00
www.egmont.pl/ksiazki

ISBN : 978-83-237-3368-3
Druk: Perfekt

EGMONT

– Piękny dziś dzień –
powiedziała Cleo.
– Pobawmy się
w lesie w berka.

– Och... Nie mam ochoty – mruknął Clifford. – Słyszałaś o duchu skunksa Śmierdziuszka?

– Mówią, że on poluje w naszym lesie!
– krzyknął T-Bone.

– Ma prawie dziesięć metrów wysokości i cuchnie paskudnie, jak prawdziwy skunks.

– To tylko bajki – pokręciła głową Cleo.
– Chyba nie wierzycie w duchy?

– Oczywiście, że nie!
– powiedział Clifford.

– No, to na co jeszcze czekasz?
– spytała Cleo. – Cliffordzie,
berek! Gonisz!

Cleo i T-Bone wbiegli między drzewa, a Clifford zaczął ich gonić. Cleo biegła bardzo szybko...

Ale Clifford był szybszy. Dogonił Cleo i chciał ją klepnąć.

Nagle Cleo krzyknęła:

– Za tobą!

Clifford zatrzymał się gwałtownie.
T-Bone zrobił to samo.
– Co?! – krzyknęli.

– Duch Śmierdziuszka!
– wrzasnęła Cleo.
Clifford i T-Bone
rozejrzeli się, ale w pobliżu
nikogo nie było.

Cleo pękała ze śmiechu.

– Nabrałam was!

– To wcale nie było śmieszne – mruknął T-Bone.
– Przestraszyłaś nas.

– Przepraszam – powiedziała Cleo.
– A mówiliście, że nie wierzycie w duchy.
Lepiej chodźmy się wykąpać.

PLUSK!
PLASK!
Pieski wskoczyły do stawu.

– Gdzie jest Cleo? – Clifford rozejrzał się.

– Jeszcze przed chwilą tu była – powiedział T-Bone.

W tej samej chwili Cleo, skomląc wniebogłosy, wybiegła z lasu.

– Ratunku! Duch Śmierdziuszka chce mnie złapać!

Clifford i T-Bone pobiegli jej na pomoc. Obok Cleo nikogo nie było, a ona chichotała zadowolona.

– Znowu nas nabrałaś! – rozgniewał się Clifford. – To nieładnie, Cleo!

– Tylko żartowałam – tłumaczyła Cleo.

Clifford i T-Bone nie byli zachwyceni. Postanowili wrócić do domu.

– Nie ma się o co gniewać! – krzyknęła za nimi Cleo. – Przepraszam!

Chciała pobiec za przyjaciółmi, ale kokardką zaczepiła o gałąź.

– Ratunku! – zawołała.

Ale Clifford i T-Bone nie mieli zamiaru wrócić.

Myśleli, że Cleo znowu chce im zrobić kawał.

Z daleka słyszeli żałosne szczekanie...

– Hau, hau!

To Cleo wzywała pomocy.

Nagle poczuli bardzo przykry zapach.

– Fuj! – mruknął Clifford. – To pewnie ten duch. A może to nowy dowcip Cleo?
Clifford i T-Bone zawrócili pędem.

I rzeczywiście zobaczyli skunksa obok Cleo.

Ale to był prawdziwy skunks, a nie żaden duch, i rzeczywiście bardzo brzydko pachniał.

Pomachał ogonem i odszedł w chmurze odoru.

T-Bone cały czas trzymał się za nos, kiedy Clifford wyplątywał kokardkę Cleo.

– Dziękuję wam, przyjaciele – powiedziała Cleo. – Przepraszam! Przepraszam, że was nabierałam i niemądrze żartowałam.

Cleo pobiegła do domu i wykąpała się w pachnącej piance.

Potem poszła odwiedzić swoich przyjaciół.

– Już nigdy nie będę tak żartować – obiecała. – Dostałam nauczkę, i to niezbyt ładnie pachnącą.

Sprawdź, co pamiętasz?

Zaznacz prawidłową odpowiedź.

1. W co chciała się bawić Cleo w lasku?
   a) w chowanego
   b) w piłkę
   c) w berka

2. Clifford i T-Bone bali się...
   a) ptaszka
   b) ducha Śmierdziuszka
   c) ciemności

Co wydarzyło się najpierw?
Co było potem?
Jakie było zakończenie tej historii?
Przeczytaj poniższe zdania i oznacz cyframi 1, 2, 3 ich prawidłową kolejność.

Clifford i T-Bone wskoczyli do stawu. ______________

Kokardka Cleo zaplątała się w gałęzie. ______________

Clifford, Cleo i T-Bone wrócili do parku. ______________

Odpowiedzi:

1c), 2b).
Clifford i T-Bone wskoczyli do stawu. (2)
Kokardka Cleo zaplątała się w gałęzie. (3)
Clifford, Cleo i T-Bone wrócili do parku. (1)